Eithne

Tomás

Caitlín

Róisín

Liam

Dónall

Méabh

Ruairí

Éamann

Sinéad

Ciara

seán

Síle

© 1992 Edwina Riddell, téacs agus léaráidí
© 1996 Rialtas na hÉireann, an leagan Gaeilge
Frances Lincoln (Londain) a chéadfhoilsigh i 1992 faoin teideal *My first playgroup*

ISBN 1-85791-196-2

Christine Warner a rinne an litreoireacht
Printset & Design Tta a rinne an scannánchló in Éirinn
Arna chlóbhualadh in Hong Cong

Le ceannach ó Oifig Dhíolta Foilseachán Rialtais,
Sráid Theach Laighean, Baile Átha Cliath 2,
nó ó dhíoltóirí leabhar.
Nó tríd an bpost ó:
Rannóg na bhFoilseachán, Oifig an tSoláthair,
4-5 Bóthar Fhearchair, Baile Átha Cliath 2.

An Gúm, 44 Sráid Uí Chonaill Uacht., Baile Átha Cliath 1

mo chéad naíonra

Edwina Riddell

An Gúm
Baile Átha Cliath

sa naíonra ar maidin

Dónall

bus

crúcaí

báibín

doras

mata tairsí

bróga canbháis

Fágann Mamaí slán agam.

pictiúir

Eithne

Ruairí

Ciara

ainm

éad

Méabh

stiúrthóir
an naíonra

teidí

Tugann Gráinne isteach mé.

cluichí

gearrthóirí

crann fuinte

taos súgartha

bord

míreanna mearaí

carranna

sórtálaí cruthanna

brící

Imrímid a lán cluichí.

péinteáil

scuab phéinte

potaí péinte

forghúna

péint

bosca

siosúr

gliú

Bímid ag péinteáil agus ag déanamh rudaí

sa bhaile, mar dhea

sáspan

mias

crúsca

doirteal

oigheann

pláta

cáca   folúsghlantóir

Tá Méabh ag bácáil cácaí.

púirín

coinín

pram

bugaí

bábóg

Tá Éamann agus Ciara ag dul ar shiúlóid.

amuigh faoin aer

fráma dreaptha

spád

sleamhnán

dumpaire

poll gainimh

caisleán

buicéad

Is breá liom an sleamhnán.

liathróid

maide corrach

trírothach

carr

liathróid léimneach

Is breá le Róisín carranna.

seomra níocháin

leithreas

páipéar
leithris

doras

Cabhraigh liom na cnaipí a dhúnadh.

scáthán

gallúnach

tuáillí páipéir

sconnaí

báisín níocháin

píobáin

bosca bruscair

pota múin

Nímid ár lámha tar éis dul chuig an leithreas.

tá sé in am lóin

ciara

Eithne

crúsca

sú oráistí

cupán

bord

Bímid ag ithe agus ag ól.

Rualrí

slisní
úll
pláta

brioscaí

cathaoir

Gheobhaidh gach duine briosca amháin.

ag déanamh ceoil

tambóirín

druma

gligín

giotár

fliúit

ciombail

Déanaimid gleo freisin.

leabhragán

scéal an lae

cúisín

leabhar

pluid

Éistimid go haireach leis an scéal.

ag dul abhaile

cochall

seaicéad

mála
droma

smeach-
dhúntóirí

hata

póca

cnaipe

Cuirimid orainn ár gcótaí .

Eithne

Róisín

Tomás

Liam

Caitlín

Dónall

Éamann

Méabh

Sinéad

Ruairí

Ciara

Seán

Síle

Eithne

Tomás

Caitlín

Róisín

Liam

Dónall

Méabh

Ruairí

Éamann

Sinéad

Ciara

seán

Síle